ANTONIO MACHADO

Antología poética

Introducción y selección
de Arturo Ramoneda

Alianza Editorial

Diseño de cubierta: Ángel Uriarte
Ilustración de cubierta:
P. Picasso, Retrato de Antonio Machado

Introducción

Antonio Machado nació en Sevilla en 1875. Estudió en la Institución Libre de Enseñanza, a cuyos maestros recordará siempre con veneración. En 1907 ganó una cátedra de francés en el Instituto de Soria. Dos años más tarde se casó con Leonor Izquierdo, una muchacha de dieciséis años, que morirá en 1912. En estas mismas fechas se traslada a Baeza (Jaén), donde permanecerá hasta 1919. Después de una prolongada estancia en Segovia, en 1932 se instala en Madrid. En 1928 conoce a la poetisa Pilar de Valderrama, que le inspirará, bajo el seudónimo de «Guiomar», todo un ciclo poético. Durante la guerra fue un defensor incondicional de la República. Murió en Collioure (Francia) en febrero de 1939.

En 1903 apareció su primer libro, *Soledades*. En la edición de 1907, titulada *Soledades. Galerías. Otros poemas,* suprimió trece textos de dicha obra (por lo general, los más vinculados a un modernismo colorista y de filiación parnasiana) y añadió otros nuevos, de mayor depuración, sencillez y densidad, que se inscriben en la línea de un modernismo intimista.

Aunque no faltan las delicadas evocaciones de la infancia y algunas descripciones paisajísticas, Machado da rienda suelta aquí a sus angustias, melancolías y tristezas, y a todo «lo que está lejos / dentro del alma, en turbio / y mago sol envuelto», bien de forma directa o tomando como interlocutores del diálogo que entabla consigo mismo a realidades inanimadas (la fuente, el amanecer, la noche, etc.). Son frecuentes también los símbolos (la tarde, el camino, el agua, el parque, el viaje, el laberinto, etc.) con los que pretende expresar sus más profundas inquietudes. El sueño se presenta con frecuencia como única forma de acceder a todo aquello de lo que carece o de revivir emociones y experiencias que iluminen el presente.

Las causas de estas melancolías y penas del poeta, aunque pocas veces se especifican, son, entre otras, el paso del tiempo, que lleva a la muerte, la falta de amor, la inexistencia de un Dios o de un asidero al que aferrarse y la cara absurda que el mundo le ofrece.

En su segunda obra, *Campos de Castilla* (1912: en la edición de *Poesías completas,* de 1917, se le añadieron poemas escritos en Baeza), Machado, sin renunciar del todo a su subjetividad, tiende a salir de sí mismo y a reflejar el mundo exterior (el paisaje y los hombres de España, sobre todo).

En esta obra pueden advertirse diversas líneas temáticas: 1) Una serie de poemas en la que Machado se acerca a las preocupaciones críticas y regeneracionistas de los escritores del 98. Como había ocurrido con Unamuno y Azorín, las descripciones paisajísticas llevan aparejadas ciertas consideraciones sobre el pasado, el presente y el futuro de España. Estos poemas alternan con otros en los que domina la visión lírica y emocionada del campo castellano. El contacto directo, durante su estancia en Baeza, con un mundo anquilosado, de desigualdades e injusticias sociales, radicaliza sus ideas. 2) El largo romance

«La tierra de Alvargonzález», donde reflexiona sobre la crueldad humana. 3) En numerosos poemas que corresponden a la enfermedad y a la muerte de su mujer, Machado vuelve a replegarse sobre sí mismo y a mostrar, con gran sobriedad y contención, su intimidad dolorida. El recuerdo de Soria y de Leonor, y la imposibilidad de una vinculación afectiva con las tierras andaluzas, a pesar de que éstas aparecen en algunos poemas, son temas destacados de la etapa de Baeza. 4) En el libro se incluyen también unos «Elogios» dirigidos a diferentes personajes (Rubén Darío, Juan Ramón Jiménez, Unamuno, Giner de los Ríos, etc.). 5) Por último, con la serie de «Proverbios y cantares», de muy diverso contenido, y con tonos que van de lo serio y profundo a lo humorístico, inicia Machado un tipo de poema breve, sentencioso y paremiológico, que tendrá una prolongación en sus siguientes obras.

Nuevas canciones (1924) aparece en un momento en el que, por obra de Juan Ramón Jiménez y de los escritores de vanguardia, se han producido cambios profundos en la poesía española. Junto a temas habituales en su obra —la evocación de las tierras sorianas, la visión crítica del mundo andaluz, etc.—, destaca una mayor atención a la poesía tradicional. También se incluye aquí otra serie de «Proverbios y cantares», en la que se acentúa lo conceptuoso, y un considerable número de sonetos, forma estrófica apenas cultivada antes por él.

En las sucesivas ediciones de sus *Poesías completas* (1928, 1933 y 1936) Machado fue incorporando nuevas composiciones. Entre ellas, destacan algunas de las que componen el *Cancionero apócrifo* de Abel Martín, poeta y filósofo de su invención. Durante la Guerra Civil escribirá diversos poemas, algunos de circunstancias, entre los que sobresalen «La muerte del niño herido» y el que dedicó a García Lorca, «El crimen fue en Granada».

Machado también se inventa ahora, junto a Abel Martín, a otro filósofo y poeta, Juan de Mairena, por boca del cual expresará de forma fragmentaria y en una prosa de gran sencillez, su particular visión del mundo y su pensamiento estético, filosófico y religioso. Juan de Mairena prolongará sus reflexiones casi hasta el final de la guerra, evolucionando desde posiciones liberales y escépticas a otras más comprometidas.

Aparte de los títulos mencionados, Antonio Machado escribió otros textos en prosa y, en colaboración con su hermano Manuel, numerosas obras de teatro.

A. R.

Poética

En este año de su *Antología* (1931[1]) pienso, como en los años del modernismo literario (los de mi juventud), que la poesía es la palabra esencial en el tiempo. La poesía moderna, que, a mi entender, arranca, en parte al menos, de Edgardo Poe, viene siendo hasta nuestros días la historia del gran problema que al poeta plantean estos dos imperativos, en cierto modo contradictorios: esencialidad y temporalidad.

El pensamiento lógico, que se adueña las ideas y capta lo esencial, es una actividad destemporalizadora. Pensar lógicamente es abolir el tiempo, suponer que no existe, crear un movimiento ajeno al cambio, discurrir entre razones inmutables. El principio de identidad —nada hay que no sea igual a sí mismo— nos permite anclar en el río de Heráclito, de ningún modo aprisionar su onda fugitiva. Pero al poeta no le es dado pensar fuera del tiempo, porque piensa su propia vida que no es, fuera del tiempo, absolutamente nada.

---

[1] Se refiere a la antología de Gerardo Diego *Poesía española,* publicada en 1932 y 1934.

Me siento, pues, algo en desacuerdo con los poetas del día. Ellos propenden a una destemporalización de la lírica, no sólo por el desuso de los artificios del ritmo, sino, sobre todo, por el empleo de las imágenes en función más conceptual que emotiva. Muy de acuerdo, en cambio, con los poetas futuros de mi *Antología,* que daré a la estampa, cultivadores de una lírica, otra vez inmergida en «las mesmas vivas aguas de la vida», dicho sea con frase de la pobre Teresa de Jesús (la llamo pobre, porque recuerdo a algunos de sus comentaristas). Ellos devolverán su honor a los románticos, sin serlo ellos mismos; a los poetas del siglo lírico, que acentuó con un adverbio temporal su mejor poema, al par que ponía en el tiempo, con el principio de Carnot, la ley más general de la Naturaleza.

Entretanto se habla de un nuevo clasicismo, y hasta de una poesía del intelecto. El intelecto no ha cantado jamás, no es su misión. Sirve, no obstante, a la poesía, señalándole el imperativo de su esencialidad. Porque tampoco hay poesía sin ideas, sin visiones de lo esencial. Pero las ideas del poeta no son categorías formales, cápsulas lógicas, sino directas intuiciones del ser que deviene, de su propio existir; son, pues, temporales, nunca elementos ácronos, puramente lógicos. El poeta profesa, más o menos conscientemente, una metafísica existencialista, en la cual el tiempo alcanza un valor absoluto. Inquietud, angustia, temores, resignación, esperanza, impaciencia que el poeta canta, son signos del tiempo y, al par, revelaciones del ser en la conciencia humana.

De *Soledades. Galerías. Otros poemas*

I

EL VIAJERO

Está en la sala familiar, sombría,
y entre nosotros, el querido hermano
que en el sueño infantil de un claro día
vimos partir hacia un país lejano.

Hoy tiene ya las sienes plateadas,
un gris mechón sobre la angosta frente;
y la fría inquietud de sus miradas
revela un alma casi toda ausente.

Deshójanse las copas otoñales
del parque mustio y viejo.
La tarde, tras los húmedos cristales,
se pinta, y en el fondo del espejo.

El rostro del hermano se ilumina
suavemente. ¿Floridos desengaños
dorados por la tarde que declina?
¿Ansias de vida nueva en nuevos años?

¿Lamentará la juventud perdida?
Lejos quedó —la pobre loba— muerta.
¿La blanca juventud nunca vivida
teme, que ha de cantar ante su puerta?

¿Sonríe al sol de oro,
de la tierra de un sueño no encontrada;
y ve su nave hender el mar sonoro,
de viento y luz la blanca vela hinchada?

Él ha visto las hojas otoñales,
amarillas, rodar, las olorosas
ramas del eucalipto, los rosales
que enseñan otra vez sus blancas rosas...

Y este dolor que añora o desconfía
el temblor de una lágrima reprime,
y un resto de viril hipocresía
en el semblante pálido se imprime.

Serio retrato en la pared clarea
todavía. Nosotros divagamos.
En la tristeza del hogar golpea
el tictac del reloj. Todos callamos.

II

He andado muchos caminos,
he abierto muchas veredas;
he navegado en cien mares,
y atracado en cien riberas.

En todas partes he visto
caravanas de tristeza,

soberbios y melancólicos
borrachos de sombra negra,
　y pedantones al paño[2]
que miran, callan, y piensan
que saben, porque no beben
el vino de las tabernas.
　Mala gente que camina
y va apestando la tierra...
　Y en todas partes he visto
gentes que danzan o juegan,
cuando pueden, y laboran
sus cuatro palmos de tierra.
　Nunca, si llegan a un sitio,
preguntan adónde llegan.
Cuando caminan, cabalgan
a lomos de mula vieja,
　y no conocen la prisa
ni aun en los días de fiesta.
Donde hay vino, beben vino;
donde no hay vino, agua fresca.
　Son buenas gentes que viven,
laboran, pasan y sueñan,
y en un día como tantos,
descansan bajo la tierra.

---

[2] Se dice del actor que, colocado detrás de un telón o basti-
dor, o asomado a cualquiera de los intersticios o vanos de la de-
coración, observa o habla en la representación escénica. Por
tanto, en este verso, se trata de pedantones que adoptan una ac-
titud teatral.

V

RECUERDO INFANTIL

Una tarde parda y fría
de invierno. Los colegiales
estudian. Monotonía
de lluvia tras los cristales.

Es la clase. En un cartel
se representa a Caín
fugitivo, y muerto Abel,
junto a una mancha carmín.

Con timbre sonoro y hueco
truena el maestro, un anciano
mal vestido, enjuto y seco,
que lleva un libro en la mano.

Y todo un coro infantil
va cantando la lección:
«mil veces ciento, cien mil;
mil veces mil, un millón».

Una tarde parda y fría
de invierno. Los colegiales
estudian. Monotonía
de la lluvia en los cristales.

VI

Fue una clara tarde, triste y soñolienta
tarde de verano. La hiedra asomaba
al muro del parque, negra y polvorienta...
                La fuente sonaba.
Rechinó en la vieja cancela mi llave;
con agrio ruido abrióse la puerta
de hierro mohoso y, al cerrarse, grave
golpeó el silencio de la tarde muerta.
En el solitario parque, la sonora
copla borbollante del agua cantora
me guió a la fuente. La fuente vertía
sobre el blanco mármol su monotonía.
La fuente cantaba: ¿Te recuerda, hermano,
un sueño lejano mi canto presente?
Fue una tarde lenta del lento verano.
Respondí a la fuente:
No recuerdo, hermana,
mas sé que tu copla presente es lejana.
Fue esta misma tarde: mi cristal vertía
como hoy sobre el mármol su monotonía.
¿Recuerdas, hermano?... Los mirtos talares,
que ves, sombreaban los claros cantares
que escuchas. Del rubio color de la llama,
el fruto maduro pendía en la rama,
lo mismo que ahora. ¿Recuerdas, hermano?...

Fue esta misma lenta tarde de verano.
—No sé qué me dice tu copla riente
de ensueños lejanos, hermana la fuente.

Yo sé que tu claro cristal de alegría
ya supo del árbol la fruta bermeja;
yo sé que es lejana la amargura mía
que sueña en la tarde de verano vieja.

Yo sé que tus bellos espejos cantores
copiaron antiguos delirios de amores:
mas cuéntame, fuente de lengua encantada,
cuéntame mi alegre leyenda olvidada.

—Yo no sé leyendas de antigua alegría,
sino historias viejas de melancolía.

Fue una clara tarde del lento verano...
Tú venías solo con tu pena, hermano;
tus labios besaron mi linfa serena,
y en la clara tarde, dijeron tu pena.

Dijeron tu pena tus labios que ardían;
la sed que ahora tienen, entonces tenían.

—Adiós para siempre la fuente sonora,
del parque dormido eterna cantora.
Adiós para siempre; tu monotonía,
fuente, es más amarga que la pena mía.

Rechinó en la vieja cancela mi llave;
con agrio ruido abrióse la puerta
de hierro mohoso y, al cerrarse, grave
sonó en el silencio de la tarde muerta.

VII

El limonero lánguido suspende
una pálida rama polvorienta
sobre el encanto de la fuente limpia,
y allá en el fondo sueñan
los frutos de oro...
              Es una tarde clara,
casi de primavera,
tibia tarde de marzo,
que el hálito de abril cercano lleva;
y estoy solo, en el patio silencioso,
buscando una ilusión cándida y vieja:
alguna sombra sobre el blanco muro,
algún recuerdo, en el pretil de piedra
de la fuente dormido, o, en el aire,
algún vagar de túnica ligera.

En el ambiente de la tarde flota
ese aroma de ausencia,
que dice al alma luminosa: nunca,
y al corazón: espera.

    Ese aroma que evoca los fantasmas
de las fragancias vírgenes y muertas.

Sí, te recuerdo, tarde alegre y clara,
casi de primavera,
tarde sin flores, cuando me traías
el buen perfume de la hierbabuena,

y de la buena albahaca,
que tenía mi madre en sus macetas.

    Que tú me viste hundir mis manos puras
en el agua serena,
para alcanzar los frutos encantados
que hoy en el fondo de la fuente sueñan...

    Sí, te conozco, tarde alegre y clara,
casi de primavera.

XI

    Yo voy soñando caminos
de la tarde. ¡Las colinas
doradas, los verdes pinos,
las polvorientas encinas!...
¿Adónde el camino irá?
Yo voy cantando, viajero
a lo largo del sendero...
—La tarde cayendo está—.
«En el corazón tenía
la espina de una pasión;
logré arrancármela un día:
ya no siento el corazón.»

    Y todo el campo un momento
se queda, mudo y sombrío,
meditando. Suena el viento
en los álamos del río.

    La tarde más se oscurece;

y el camino que serpea
y débilmente blanquea,
se enturbia y desaparece.
    Mi cantar vuelve a plañir:
«Aguda espina dorada,
quién te pudiera sentir
en el corazón clavada».

XIII

    Hacia un ocaso radiante
caminaba el sol de estío,
y era, entre nubes de fuego, una trompeta gigante,
tras de los álamos verdes de las márgenes del río.
    Dentro de un olmo sonaba la sempiterna tijera
de la cigarra cantora, el monorritmo jovial,
entre metal y madera,
que es la canción estival.
    En una huerta sombría
giraban los cangilones de la noria soñolienta.
Bajo las ramas oscuras el son del agua se oía.
Era una tarde de julio, luminosa y polvorienta.
    Yo iba haciendo mi camino,
absorto en el solitario crepúsculo campesino.
    Y pensaba: «¡Hermosa tarde, nota de la lira in-
                                              [mensa
toda desdén y armonía;
hermosa tarde, tú curas la pobre melancolía

de este rincón vanidoso, oscuro rincón que piensa!»
    Pasaba el agua rizada bajo los ojos del puente.
Lejos la ciudad dormía,
como cubierta de un mago fanal de oro transparente.
Bajo los arcos de piedra el agua clara corría.

    Los últimos arreboles coronaban las colinas
manchadas de olivos grises y de negruzcas encinas.
Yo caminaba cansado,
sintiendo la vieja angustia que hace el corazón pe-
                                        [sado.

    El agua en sombra pasaba tan melancólicamente,
bajo los arcos del puente,
como si al pasar dijera:
    «Apenas desamarrada
la pobre barca, viajero, del árbol de la ribera,
se canta: no somos nada.
Donde acaba el pobre río la inmensa mar nos es-
                                        [pera».

    Bajo los ojos del puente pasaba el agua sombría.
(Yo pensaba: ¡el alma mía!)

    Y me detuve un momento,
en la tarde, a meditar...
¿Qué es esta gota en el viento
que grita al mar: soy el mar?

    Vibraba el aire asordado
por los élitros cantores que hacen el campo sonoro,
cual si estuviera sembrado
de campanitas de oro.

    En el azul fulguraba
un lucero diamantino.

Cálido viento soplaba,
alborotando el camino.
  Yo, en la tarde polvorienta,
hacia la ciudad volvía.
Sonaban los cangilones de la noria soñolienta.
Bajo las ramas oscuras caer el agua se oía.

XIV

CANTE HONDO

  Yo meditaba absorto, devanando
los hilos del hastío y la tristeza,
cuando llegó a mi oído,
por la ventana de mi estancia, abierta
  a una caliente noche de verano,
el plañir de una copla soñolienta,
quebrada por los trémolos[3] sombríos
de las músicas magas de mi tierra.
  ...Y era el Amor, como una roja llama...
—Nerviosa mano en la vibrante cuerda
ponía un largo suspirar de oro,
que se trocaba en surtidor de estrellas—.
  ...Y era la Muerte, al hombro la cuchilla,
el paso largo, torva y esquelética.

---

  [3] Adornos musicales que consisten en repetir rápida y rítmicamente notas iguales.

—Tal cuando yo era niño la soñaba—.
    Y en la guitarra, resonante y trémula,
la brusca mano, al golpear, fingía
el reposar de un ataúd en tierra.
    Y era un plañido solitario el soplo
que el polvo barre y la ceniza avienta.

XXII

    Sobre la tierra amarga,
caminos tiene el sueño
laberínticos, sendas tortuosas,
parques en flor y en sombra y en silencio;
    criptas hondas, escalas sobre estrellas;
retablos de esperanzas y recuerdos.
Figurillas que pasan y sonríen
—juguetes melancólicos de viejo—;
    imágenes amigas,
a la vuelta florida del sendero,
y quimeras rosadas
que hacen camino... lejos...

XXXII

    Las ascuas de un crepúsculo morado
detrás del negro cipresal humean...

En la glorieta en sombra está la fuente
con su alado y desnudo Amor de piedra,
que sueña mudo. En la marmórea taza
reposa el agua muerta.

XXXV

Al borde del sendero un día nos sentamos.
Ya nuestra vida es tiempo, y nuestra sola cuita
son las desesperantes posturas que tomamos
para aguardar... Mas Ella no faltará a la cita.

XLVIII

LAS MOSCAS

Vosotras, las familiares,
inevitables golosas,
vosotras, moscas vulgares,
me evocáis todas las cosas.
¡Oh, viejas moscas voraces
como abejas en abril,
viejas moscas pertinaces
sobre mi calva infantil!
¡Moscas del primer hastío
en el salón familiar,

las claras tardes de estío
en que yo empecé a soñar!
    Y en la aborrecida escuela,
raudas moscas divertidas,
perseguidas
por amor de lo que vuela,
    —que todo es volar—, sonoras,
rebotando en los cristales
en los días otoñales...
Moscas de todas las horas,
    de infancia y adolescencia,
de mi juventud dorada;
de esta segunda inocencia,
que da en no creer en nada,
    de siempre... Moscas vulgares,
que de puro familiares
no tendréis digno cantor:
yo sé que os habéis posado
    sobre el juguete encantado,
sobre el librote cerrado,
sobre la carta de amor,
sobre los párpados yertos
de los muertos.
    Inevitables golosas,
que ni labráis como abejas,
ni brilláis cual mariposas;
pequeñitas, revoltosas;
vosotras, amigas viejas,
me evocáis todas las cosas.

LV

HASTÍO

Pasan las horas de hastío
por la estancia familiar,
el amplio cuarto sombrío
donde yo empecé a soñar.

Del reloj arrinconado,
que en la penumbra clarea,
el tictac acompasado
odiosamente golpea.

Dice la monotonía
del agua clara al caer:
un día es como otro día;
hoy es lo mismo que ayer.

Cae la tarde. El viento agita
el parque mustio y dorado...
¡Qué largamente ha llorado
toda la fronda marchita!

LIX

Anoche cuando dormía
soñé, ¡bendita ilusión!,
que una fontana fluía

dentro de mi corazón.
Di, ¿por qué acequia escondida,
agua, vienes hasta mí,
manantial de nueva vida
de donde nunca bebí?

Anoche cuando dormía
soñé, ¡bendita ilusión!,
que una colmena tenía
dentro de mi corazón;
y las doradas abejas
iban fabricando en él,
con las amarguras viejas,
blanca cera y dulce miel.

Anoche cuando dormía
soñé, ¡bendita ilusión!,
que un ardiente sol lucía
dentro de mi corazón.
Era ardiente porque daba
calores de rojo hogar,
y era sol porque alumbraba
y porque hacía llorar.

Anoche cuando dormía
soñé, ¡bendita ilusión!,
que era Dios lo que tenía
dentro de mi corazón.

las empolvadas cuerdas.

Guitarra del mesón de los caminos,
no fuiste nunca, ni serás, poeta.

Tú eres alma que dice su armonía
solitaria a las almas pasajeras...

Y siempre que te escucha el caminante
sueña escuchar un aire de su tierra.

LXXXIX

Y podrás conocerte, recordando
del pasado soñar los turbios lienzos,
en este día triste en que caminas
con los ojos abiertos.

De toda la memoria, sólo vale
el don preclaro de evocar los sueños.

XCII

«Tournez, tournez, chevaux de bois»
VERLAINE

Pegasos, lindos pegasos,
caballitos de madera.
....
Yo conocí, siendo niño,

la alegría de dar vueltas
sobre un corcel colorado,
en una noche de fiesta.

En el aire polvoriento
chispeaban las candelas,
y la noche azul ardía
toda sembrada de estrellas.

¡Alegrías infantiles
que cuestan una moneda
de cobre, lindos pegasos,
caballitos de madera!

De *Campos de Castilla*

XCVII

RETRATO

Mi infancia son recuerdos de un patio de Sevilla[6],
y un huerto claro donde madura el limonero;
mi juventud, veinte años en tierra de Castilla;
mi historia, algunos casos que recordar no quiero.
Ni un seductor Mañara[7], ni un Bradomín[8] he sido
—ya conocéis mi torpe aliño indumentario—,
mas recibí la flecha que me asignó Cupido,
y amé cuanto ellas pueden tener de hospitalario.

---

[6] Machado recuerda aquí el patio del Palacio de las Dueñas donde nació.

[7] Miguel de Mañara (1620-1679) fue un caballero y filántropo sevillano. Es habitual aludir a su juventud licenciosa y a su posterior conversión.

[8] Se refiere al marqués de Bradomín, el «don Juan feo, católico y sentimental» que protagoniza las *Sonatas* de Valle-Inclán.

Hay en mis venas gotas de sangre jacobina[9],
pero mi verso brota de manantial sereno;
y, más que un hombre al uso que sabe su doctrina,
soy, en el buen sentido de la palabra, bueno.

Adoro la hermosura, y en la moderna estética
corté las viejas rosas del huerto de Ronsard[10];
mas no amo los afeites de la actual cosmética[11],
ni soy un ave de esas del nuevo gay-trinar[12].

Desdeño las romanzas de los tenores huecos
y el coro de los grillos que cantan a la luna.
A distinguir me paro las voces de los ecos,
y escucho solamente, entre las voces, una.

¿Soy clásico o romántico? No sé. Dejar quisiera
mi verso, como deja el capitán su espada:
famosa por la mano viril que la blandiera,
no por el docto oficio del forjador preciada.

Converso con el hombre que siempre va conmigo
—quien habla solo espera hablar a Dios un día—;
mi soliloquio es plática con este buen amigo
que me enseñó el secreto de la filantropía.

---

[9] Los jacobinos adoptaron posturas extremistas durante la Revolución francesa. Por extensión, dicho término se aplicó a los demócratas fervorosos.

[10] Ronsard (1524-1585) fue el más importante poeta del Renacimiento francés.

[11] Alude a los artificios de la poesía modernista.

[12] A partir de *gay saber,* nombre con el que se designaba el arte poética en la Provenza medieval, Machado construye esta expresión irónica.

Y al cabo, nada os debo; debéisme cuanto he es-
[crito.
A mi trabajo acudo, con mi dinero pago
el traje que me cubre y la mansión que habito,
el pan que me alimenta y el lecho en donde yago.
    Y cuando llegue el día del último viaje,
y esté al partir la nave que nunca ha de tornar,
me encontraréis a bordo ligero de equipaje,
casi desnudo, como los hijos de la mar.

XCVIII

A ORILLAS DEL DUERO

Mediaba el mes de julio. Era un hermoso día.
Yo, solo, por las quiebras del pedregal subía,
buscando los recodos de sombra, lentamente.
A trechos me paraba para enjugar mi frente
y dar algún respiro al pecho jadeante;
o bien, ahincando el paso, el cuerpo hacia adelante
y hacia la mano diestra vencido y apoyado
en un bastón, a guisa de pastoril cayado,
trepaba por los cerros que habitan las rapaces
aves de altura, hollando las hierbas montaraces
de fuerte olor —romero, tomillo, salvia, espliego—.
Sobre los agrios campos caía un sol de fuego.
    Un buitre de anchas alas con majestuoso vuelo
cruzaba solitario el puro azul del cielo.

Yo divisaba, lejos, un monte alto y agudo,
y una redonda loma cual recamado[13] escudo,
y cárdenos alcores sobre la parda tierra
—harapos esparcidos de un viejo arnés[14] de guerra—,
las serrezuelas calvas por donde tuerce el Duero
para formar la corva ballesta de un arquero
en torno a Soria. —Soria es una barbacana[15],
hacia Aragón, que tiene la torre castellana—.
Veía el horizonte cerrado por colinas
oscuras, coronadas de robles y de encinas;
desnudos peñascales, algún humilde prado
donde el merino pace y el toro, arrodillado
sobre la hierba, rumia; las márgenes del río
lucir sus verdes álamos al claro sol de estío,
y, silenciosamente, lejanos pasajeros,
¡tan diminutos! —carros, jinetes y arrieros—,
cruzar el largo puente, y bajo las arcadas
de piedra ensombrecerse las aguas plateadas
del Duero.

       El Duero cruza el corazón de roble
de Iberia y de Castilla.

          ¡Oh, tierra triste y noble,
la de los altos llanos y yermos y roquedas,
de campos sin arados, regatos[16] ni arboledas;

---

[13] Bordado de realce.
[14] Conjunto de armas defensivas que se aseguraban en el
cuerpo con correas y hebillas.
[15] Obra avanzada y aislada para defender puertas de plazas,
cabezas de puente, etc.
[16] Arroyuelos de riego.

decrépitas ciudades, caminos ni mesones,
y atónitos palurdos sin danzas ni canciones
que aún van, abandonando el mortecino hogar,
como tus largos ríos, Castilla, hacia la mar!

Castilla miserable, ayer dominadora,
envuelta en sus andrajos desprecia cuanto ignora.
¿Espera, duerme o sueña? ¿La sangre derramada
recuerda, cuando tuvo la fiebre de la espada?
Todo se mueve, fluye, discurre, corre o gira;
cambian la mar y el monte y el ojo que los mira.
¿Pasó? Sobre sus campos aún el fantasma yerra
de un pueblo que ponía a Dios sobre la guerra.

La madre en otro tiempo fecunda en capitanes,
madrastra es hoy apenas de humildes ganapanes[17].
Castilla no es aquella tan generosa un día,
cuando Myo Cid Rodrigo el de Vivar volvía,
ufano de su nueva fortuna y su opulencia,
a regalar a Alfonso los huertos de Valencia;
o que, tras la aventura que acreditó sus bríos,
pedía la conquista de los inmensos ríos
indianos a la corte, la madre de soldados,
guerreros y adalides que han de tornar, cargados
de plata y oro, a España, en regios galeones,
para la presa cuervos, para la lid leones.
Filósofos nutridos de sopa de convento
contemplan impasibles el amplio firmamento;

---

[17] Hombres que se ganan la vida llevando recados y trans-
portando bultos de un punto a otro. También se aplica a las
personas rudas y toscas.

y si les llega en sueños, como un rumor distante,
clamor de mercaderes de muelles de Levante,
no acudirán siquiera a preguntar: ¿qué pasa?
Y ya la guerra ha abierto las puertas de su casa.

Castilla miserable, ayer dominadora,
envuelta en sus harapos desprecia cuanto ignora.

El sol va declinando. De la ciudad lejana
me llega un armonioso tañido de campana
—ya irán a su rosario las enlutadas viejas—.
De entre las peñas salen dos lindas comadrejas[18];
me miran y se alejan, huyendo, y aparecen
de nuevo, ¡tan curiosas!... Los campos se oscurecen.
Hacia el camino blanco está el mesón abierto
al campo ensombrecido y el pedregal desierto.

C

EL HOSPICIO

Es el hospicio, el viejo hospicio provinciano,
el caserón ruinoso de ennegrecidas tejas
en donde los vencejos anidan en verano
y graznan en las noches de invierno las cornejas.

Con su frontón al Norte, entre los dos torreones
de antigua fortaleza, el sórdido edificio

---

[18] Mamífero carnicero nocturno, de unos veinticinco centímetros de largo.

de grietados muros y sucios paredones,
es un rincón de sombra eterna. ¡El viejo hospicio!
    Mientras el sol de enero su débil luz envía,
su triste luz velada sobre los campos yermos,
a un ventanuco asoman, al declinar el día,
algunos rostros pálidos, atónitos y enfermos,
    a contemplar los montes azules de la sierra;
o, de los cielos blancos, como sobre una fosa,
caer la blanca nieve sobre la fría tierra,
¡sobre la tierra fría la nieve silenciosa!...

CII

ORILLAS DEL DUERO

    ¡Primavera soriana, primavera
humilde, como el sueño de un bendito,
de un pobre caminante que durmiera
de cansancio en un páramo infinito!
    ¡Campillo amarillento,
como tosco sayal de campesina,
pradera de velludo polvoriento
donde pace la escuálida merina!
    ¡Aquellos diminutos pegujales[19]
de tierra dura y fría,
donde apuntan centenos y trigales
que el pan moreno nos darán un día!

---

[19] Pequeña porción de siembra.

Y otra vez roca y roca, pedregales
desnudos y pelados serrijones,
la tierra de las águilas caudales,
malezas y jarales,
hierbas monteses, zarzas y cambrones[20].

¡Oh tierra ingrata y fuerte, tierra mía!
¡Castilla, tus decrépitas ciudades!
¡La agria melancolía
que puebla tus sombrías soledades!

¡Castilla varonil, adusta tierra,
Castilla del desdén contra la suerte,
Castilla del dolor y de la guerra,
tierra inmortal, Castilla de la muerte!

Era una tarde, cuando el campo huía
del sol, y en el asombro del planeta,
como un globo morado aparecía
la hermosa luna, amada del poeta.

En el cárdeno cielo violeta
alguna clara estrella fulguraba.
El aire ensombrecido
oreaba mis sienes, y acercaba
el murmullo del agua hasta mi oído.

Entre cerros de plomo y de ceniza
manchados de roídos encinares,
y entre calvas roquedas de caliza,
iba a embestir los ocho tajamares[21]

---

[20] Arbustos con ramas enmarañadas y espinosas.
[21] Pilares angulosos de un puente que cortan la corriente del agua.

del puente el padre río,
que surca de Castilla el yermo frío.
    ¡Oh Duero, tu agua corre
y correrá mientras las nieves blancas
de enero el sol de mayo
haga fluir por hoces y barrancas,
mientras tengan las sierras su turbante
de nieve y de tormenta,
y brille el olifante[22]
del sol, tras de la nube ceniciental!...
    ¿Y el viejo romancero
fue el sueño de un juglar junto a tu orilla?
¿Acaso como tú y por siempre, Duero,
irá corriendo hacia la mar Castilla?

CXIII

CAMPOS DE SORIA

I

    Es la tierra de Soria árida y fría.
Por las colinas y las sierras calvas,
verdes pradillos, cerros cenicientos,
la primavera pasa
dejando entre las hierbas olorosas
sus diminutas margaritas blancas.

---

[22] Trompeta hecha con un cuerno de marfil.

La tierra no revive, el campo sueña.
Al empezar abril está nevada
la espalda del Moncayo;
el caminante lleva en su bufanda
envueltos cuello y boca, y los pastores
pasan cubiertos con sus luengas capas.

II

Las tierras labrantías,
como retazos de estameñas[23] pardas,
el huertecillo, el abejar, los trozos
de verde oscuro en que el merino pasta,
entre plomizos peñascales, siembran
el sueño alegre de infantil Arcadia.
En los chopos lejanos del camino,
parecen humear las yertas ramas
como un glauco[24] vapor —las nuevas hojas—
y en las quiebras de valles y barrancas
blanquean los zarzales florecidos,
y brotan las violetas perfumadas.

III

Es el campo undulado, y los caminos
ya ocultan los viajeros que cabalgan

---

[23] Tejido de lana, sencillo y ordinario, que tiene la urdimbre
y la trama de estambre.
[24] Verde claro.

en pardos borriquillos,
ya al fondo de la tarde arrebolada
elevan las plebeyas figurillas,
que el lienzo de oro del ocaso manchan.
Mas si trepáis a un cerro y veis el campo
desde los picos donde habita el águila,
son tornasoles de carmín y acero,
llanos plomizos, lomas plateadas,
circuidos por montes de violeta,
con las cumbres de nieve sonrosada.

IV

¡Las figuras del campo sobre el cielo!
Dos lentos bueyes aran
en un alcor, cuando el otoño empieza,
y entre las negras testas dobladas
bajo el pesado yugo,
pende un cesto de juncos y retama,
que es la cuna de un niño;
y tras la yunta marcha
un hombre que se inclina hacia la tierra,
y una mujer que en las abiertas zanjas
arroja la semilla.
Bajo una nube de carmín y llama,
en el oro fluido y verdinoso
del poniente, las sombras se agigantan.

La nieve. En el mesón al campo abierto
se ve el hogar donde la leña humea
y la olla al hervir borbollonea.
El cierzo corre por el campo yerto,
alborotando en blancos torbellinos
la nieve silenciosa.
La nieve sobre el campo y los caminos,
cayendo está como sobre una fosa.
Un viejo acurrucado tiembla y tose
cerca del fuego; su mechón de lana
la vieja hila, y una niña cose
verde ribete a su estameña grana.
Padres los viejos son de un arriero
que caminó sobre la blanca tierra,
y una noche perdió ruta y sendero,
y se enterró en las nieves de la sierra.
En torno al fuego hay un lugar vacío,
y en la frente del viejo, de hosco ceño,
como un tachón sombrío
—tal el golpe de un hacha sobre un leño—.
La vieja mira al campo, cual si oyera
pasos sobre la nieve. Nadie pasa.
Desierta la vecina carretera,
desierto el campo en torno de la casa.
La niña piensa que en los verdes prados

ha de correr con otras doncellitas
en los días azules y dorados,
cuando crecen las blancas margaritas.

VI

¡Soria fría, *Soria pura,*
cabeza de Extremadura[25],
con su castillo guerrero
arruinado, sobre el Duero;
con sus murallas roídas
y sus casas denegridas!
¡Muerta ciudad de señores
soldados o cazadores;
de portales con escudos
de cien linajes hidalgos,
y de famélicos galgos,
de galgos flacos y agudos,
que pululan
por las sórdidas callejas,
y a la medianoche ululan,
cuando graznan las cornejas!
¡Soria fría! La campana
de la Audiencia da la una,

---

[25] Las palabras en cursiva figuran como lema en el escudo de
esta ciudad. En la Edad Media se llamó Extremadura a la parte última del territorio conquistado a los árabes.

Soria, ciudad castellana
¡tan bella! bajo la luna.

VII

¡Colinas plateadas,
grises alcores, cárdenas roquedas
por donde traza el Duero
su curva de ballesta
en torno a Soria, oscuros encinares,
ariscos pedregales, calvas sierras,
caminos blancos y álamos del río,
tardes de Soria, mística y guerrera,
hoy siento por vosotros, en el fondo
del corazón, tristeza,
tristeza que es amor! ¡Campos de Soria
donde parece que las rocas sueñan,
conmigo vais! ¡Colinas plateadas,
grises alcores, cárdenas roquedas!...

VIII

He vuelto a ver los álamos dorados,
álamos del camino en la ribera
del Duero, entre San Polo y San Saturio[26],

---

[26] Son dos conocidas ermitas de Soria, situadas en las afueras
de la ciudad, a orillas del Duero.

44

tras las murallas viejas
de Soria —barbacana
hacia Aragón, en castellana tierra.

Estos chopos del río, que acompañan
con el sonido de sus hojas secas
el son del agua, cuando el viento sopla,
tienen en sus cortezas
grabadas iniciales que son nombres
de enamorados, cifras que son fechas.
¡Álamos del amor que ayer tuvisteis
de ruiseñores vuestras ramas llenas;
álamos que seréis mañana liras
del viento perfumado en primavera;
álamos del amor cerca del agua
que corre y pasa y sueña,
álamos de las márgenes del Duero,
conmigo vais, mi corazón os lleva!

IX

¡Oh!, sí, conmigo vais, campos de Soria,
tardes tranquilas, montes de violeta,
alamedas del río, verde sueño
del suelo gris y de la parda tierra,
agria melancolía
de la ciudad decrépita,
me habéis llegado al alma,
¿o acaso estabais en el fondo de ella?
¡Gentes del alto llano numantino

que a Dios guardáis como cristianas viejas,
que el sol de España os llene
de alegría, de luz y de riqueza!

CXV

A UN OLMO SECO

Al olmo viejo, hendido por el rayo
y en su mitad podrido,
con las lluvias de abril y el sol de mayo,
algunas hojas verdes le han salido.

¡El olmo centenario en la colina
que lame el Duero! Un musgo amarillento
le mancha la corteza blanquecina
al tronco carcomido y polvoriento.

No será, cual los álamos cantores
que guardan el camino y la ribera,
habitado de pardos ruiseñores.

Ejército de hormigas en hilera
va trepando por él, y en sus entrañas
urden sus telas grises las arañas.

Antes que te derribe, olmo del Duero,
con su hacha el leñador, y el carpintero
te convierta en melena de campana[27],

---

[27] Pieza de madera que, unida a la campana, sirve para voltearla.

lanza de carro o yugo de carreta;
antes que rojo en el hogar, mañana,
ardas de alguna mísera caseta,
al borde de un camino;
antes que te descuaje un torbellino
y tronche el soplo de las sierras blancas;
antes que el río hasta la mar te empuje
por valles y barrancas,
olmo, quiero anotar en mi cartera
la gracia de tu rama verdecida.
Mi corazón espera
también, hacia la luz y hacia la vida,
otro milagro de la primavera.

Soria, 1912

CXIX

Señor, ya me arrancaste lo que yo más quería.
Oye otra vez, Dios mío, mi corazón clamar.
Tu voluntad se hizo, Señor, contra la mía.
Señor, ya estamos solos mi corazón y el mar.

CXXI

Allá, en las tierras altas,
por donde traza el Duero

su curva de ballesta
en torno a Soria, entre plomizos cerros
y manchas de raídos encinares,
mi corazón está vagando, en sueños...

    ¿No ves, Leonor, los álamos del río
con sus ramajes yertos?
Mira el Moncayo azul y blanco; dame
tu mano y paseemos.
Por estos campos de la tierra mía,
bordados de olivares polvorientos,
voy caminando solo,
triste, cansado, pensativo y viejo.

CXXII

    Soñé que tú me llevabas
por una blanca vereda,
en medio del campo verde,
hacia el azul de las sierras,
hacia los montes azules,
una mañana serena.

    Sentí tu mano en la mía,
tu mano de compañera,
tu voz de niña en mi oído
como una campana nueva,
como una campana virgen
de un alba de primavera.
¡Eran tu voz y tu mano,

en sueños, tan verdaderas!...
Vive, esperanza, ¡quién sabe
lo que se traga la tierra!

CXXV

En estos campos de la tierra mía,
y extranjero en los campos de mi tierra
—yo tuve patria donde corre el Duero
por entre grises peñas,
y fantasmas de viejos encinares,
allá en Castilla, mística y guerrera,
Castilla la gentil, humilde y brava,
Castilla del desdén y de la fuerza—,
en estos campos de mi Andalucía,
¡oh, tierra en que nací!, cantar quisiera.
Tengo recuerdos de mi infancia, tengo
imágenes de luz y de palmeras,
y en una gloria de oro,
de lueñes campanarios con cigüeñas,
de ciudades con calles sin mujeres
bajo un cielo de añil, plazas desiertas
donde crecen naranjos encendidos
con sus frutas redondas y bermejas;
y en un huerto sombrío, el limonero
de ramas polvorientas
y pálidos limones amarillos,
que el agua clara de la fuente espeja,

un aroma de nardos y claveles
y un fuerte olor de albahaca y hierbabuena;
imágenes de grises olivares
bajo un tórrido sol que aturde y ciega,
y azules y dispersas serranías
con arreboles de una tarde inmensa;
mas falta el hilo que el recuerdo anuda
al corazón, el ancla en su ribera,
o estas memorias no son alma. Tienen,
en sus abigarradas vestimentas,
señal de ser despojos del recuerdo,
la carga bruta que el recuerdo lleva.
Un día tornarán, con luz del fondo ungidos,
los cuerpos virginales a la orilla vieja.

Lora del Río, 4 de abril de 1913

CXXVI

A JOSÉ MARÍA PALACIO[28]

Palacio, buen amigo,
¿está la primavera
vistiendo ya las ramas de los chopos

---

[28] José María Palacio ejerció el periodismo en Soria y en Valladolid. Era amigo y medio pariente de Machado (su mujer y la del poeta, Leonor, eran primas hermanas).

del río y los caminos? En la estepa
del alto Duero, primavera tarda,
¡pero es tan bella y dulce cuando llega!...
¿Tienen los viejos olmos
algunas hojas nuevas?
Aún las acacias estarán desnudas
y nevados los montes de las sierras.
¡Oh, mole del Moncayo blanca y rosa,
allá, en el cielo de Aragón, tan bella!
¿Hay zarzas florecidas
entre las grises peñas,
y blancas margaritas
entre la fina hierba?
Por esos campanarios
ya habrán ido llegando las cigüeñas.
Habrá trigales verdes,
y mulas pardas en las sementeras[29],
y labriegos que siembran los tardíos[30]
con las lluvias de abril. Ya las abejas
libarán del tomillo y el romero.
¿Hay ciruelos en flor? ¿Quedan violetas?
Furtivos cazadores, los reclamos
de la perdiz bajo las capas luengas,
no faltarán. Palacio, buen amigo,
¿tienen ya ruiseñores las riberas?
Con los primeros lirios
y las primeras rosas de las huertas,

---

[29] Tierras sembradas.
[30] Sembrados de frutos tardíos.

en una tarde azul, sube al Espino[31],
al alto Espino donde está su tierra...

Baeza, 29 de abril de 1913

CXXVIII

POEMA DE UN DÍA

Meditaciones rurales

Heme aquí ya, profesor
de lenguas vivas (ayer
maestro de gay-saber,
aprendiz de ruiseñor),
en un pueblo húmedo y frío,
destartalado y sombrío,
entre andaluz y manchego.
Invierno. Cerca del fuego.
Fuera llueve un agua fina,
que ora se trueca en neblina,
ora se torna aguanieve.
Fantástico labrador,
pienso en los campos. ¡Señor,
qué bien haces! Llueve, llueve

---

[31] El Espino es el cementerio de Soria. Machado le pide a su amigo que deposite unas flores en la tumba de Leonor.

tu agua constante y menuda
sobre alcaceles y habares[32],
tu agua muda,
en viñedos y olivares.
Te bendecirán conmigo
los sembradores del trigo;
los que viven de coger
la aceituna;
los que esperan la fortuna
de comer;
los que hogaño,
como antaño,
tienen toda su moneda
en la rueda,
traidora rueda del año.
¡Llueve, llueve; tu neblina
que se torne en aguanieve,
y otra vez en agua fina!
¡Llueve, Señor, llueve, llueve!

En mi estancia, iluminada
por esta luz invernal,
—la tarde gris tamizada
por la lluvia y el cristal—,
sueño y medito.

                    Clarea
el reloj arrinconado,
y su tic tic, olvidado

---

[32] Terrenos plantados, respectivamente, de cebada y de habas.

53

por repetido, golpea.
Tic-tic, tic-tic... Ya te he oído.
Tic-tic, tic-tic... Siempre igual,
monótono y aburrido.
Tic-tic, tic-tic, el latido
de un corazón de metal.
En estos pueblos, ¿se escucha
el latir del tiempo? No.
En estos pueblos se lucha
sin tregua con el reló,
con esa monotonía
que mide un tiempo vacío.
Pero ¿tu hora es la mía?
¿Tu tiempo, reloj, el mío?
(Tic-tic, tic-tic...) Era un día
(tic-tic, tic-tic) que pasó,
y lo que yo más quería
la muerte se lo llevó.

   Lejos suena un clamoreo
de campanas...
Arrecia el repiqueteo
de la lluvia en las ventanas.
Fantástico labrador,
vuelvo a mis campos. ¡Señor,
cuánto te bendecirán
los sembradores del pan!
Señor, ¿no es tu lluvia ley,
en los campos que ara el buey,
y en los palacios del rey?
¡Oh, agua buena, deja vida

en tu huida!
¡Oh tú, que vas gota a gota,
fuente a fuente y río a río,
como este tiempo de hastío
corriendo a la mar remota,
con cuanto quiere nacer,
cuanto espera
florecer
al sol de la primavera,
sé piadosa,
que mañana
serás espiga temprana,
prado verde, carne rosa,
y más: razón y locura
y amargura
de querer y no poder
creer, creer y creer!
    Anochece;
el hilo de la bombilla
se enrojece,
luego brilla,
resplandece,
poco más que una cerilla.
Dios sabe dónde andarán
mis gafas.... entre librotes,
revistas y papelotes,
¿quién las encuentra?... Aquí están.
Libros nuevos. Abro uno
de Unamuno.
¡Oh, el dilecto,

predilecto
de esta España que se agita,
porque nace o resucita!
Siempre te ha sido, ¡oh Rector
de Salamanca!, leal
este humilde profesor
de un instituto rural.
Esa tu filosofía
que llamas diletantesca,
voltaria y funambulesca,
gran don Miguel, es la mía.
Agua del buen manantial,
siempre viva,
fugitiva;
poesía, cosa cordial.
¿Constructora?
—No hay cimiento
ni en el alma ni en el viento—.
Bogadora,
marinera,
hacia la mar sin ribera.
Enrique Bergson: *Los datos
inmediatos
de la conciencia*. ¿Esto es
otro embeleco francés?
Este Bergson es un tuno;
¿verdad, maestro Unamuno?
Bergson no da como aquel
Immanuel
el volatín inmortal;

este endiablado judío
ha hallado el libre albedrío
dentro de su mechinal[33].
No está mal;
cada sabio, su problema,
y cada loco, su tema.
Algo importa
que en la vida mala y corta
que llevamos
libres o siervos seamos;
mas, si vamos
a la mar,
lo mismo nos han de dar.
¡Oh, estos pueblos! Reflexiones,
lecturas y acotaciones
pronto dan en lo que son:
bostezos de Salomón.
¿Todo es
soledad de soledades,
vanidad de vanidades,
que dijo el Eclesiastés?
Mi paraguas, mi sombrero,
mi gabán... El aguacero
amaina... Vámonos, pues.
    Es de noche. Se platica
al fondo de una botica.
—Yo no sé,
don José,

_____
[33] Habitación o cuarto muy reducido.

cómo son los liberales
tan perros, tan inmorales.
—¡Oh, tranquilícese usté!
Pasados los carnavales,
vendrán los conservadores,
buenos administradores
de su casa.
Todo llega y todo pasa
Nada eterno:
ni gobierno
que perdure,
ni mal que cien años dure.
—Tras estos tiempos, vendrán
otros tiempos y otros y otros,
y lo mismo que nosotros
otros se jorobarán.
Así es la vida, don Juan.
—Es verdad, así es la vida.
—La cebada está crecida.
—Con estas lluvias...
                              Y van
las habas que es un primor.
—Cierto; para marzo, en flor.
Pero la escarcha, los hielos...
—Y, además, los olivares
están pidiendo a los cielos
aguas a torrentes.
                              —A mares.
¡Las fatigas, los sudores
que pasan los labradores!

En otro tiempo...
                    Llovía
también cuando Dios quería.
—Hasta mañana, señores.
    Tic-tic, tic-tic... Ya pasó
un día como otro día,
dice la monotonía
del reló.
    Sobre mi mesa *Los datos*
de la conciencia, inmediatos.
No está mal
este yo fundamental,
contingente y libre, a ratos,
creativo, original;
este yo que vive y siente
dentro la carne mortal
¡ay! por saltar impaciente
las bardas de su corral.

                                    Baeza, 1913

CXXX

LA SAETA

¿Quién me presta una escalera,
para subir al madero,
para quitarle los clavos
a Jesús el Nazareno?

Saeta popular

¡Oh, la saeta, el cantar
al Cristo de los gitanos,
siempre con sangre en las manos,
siempre por desenclavar!
¡Cantar del pueblo andaluz,
que todas las primaveras
anda pidiendo escaleras
para subir a la cruz!
¡Cantar de la tierra mía,
que echa flores
al Jesús de la agonía,
y es la fe de mis mayores!
¡Oh, no eres tú mi cantar!
¡No puedo cantar, ni quiero
a ese Jesús del madero,
sino al que anduvo en el mar!

CXXXI

DEL PASADO EFÍMERO

Este hombre del casino provinciano
que vio a Carancha[34] recibir un día,
tiene mustia la tez, el pelo cano,
ojos velados por melancolía;
bajo el bigote gris, labios de hastío,
y una triste expresión, que no es tristeza,
sino algo más y menos: el vacío
del mundo en la oquedad de su cabeza.
Aún luce de corinto[35] terciopelo
chaqueta y pantalón abotinado,
y un cordobés[36] color de caramelo,
pulido y torneado.
Tres veces heredó; tres ha perdido

---

[34] «Carancha» —originalmente «Cara-ancha»— era el nombre artístico del torero José Sánchez del Campo, nacido en Algeciras (Cádiz) en 1848. Fue rival de Lagartijo y de Frascuelo. El primero de junio de 1881 ejecutó por primera vez, con éxito, la suerte de matar recibiendo —es decir, cuadrándose y conservando esta postura, sin mover los pies al dar la estocada, mientras el toro embiste.

[35] Color rojo oscuro, casi violáceo.

[36] Sombrero cordobés. Es el de fieltro, de ala ancha y plana, con copa baja cilíndrica.

al monte su caudal; dos ha enviudado.
Sólo se anima ante el azar prohibido,
sobre el verde tapete reclinado,
o al evocar la tarde de un torero,
la suerte de un tahúr, o si alguien cuenta
la hazaña de un gallardo bandolero,
o la proeza de un matón, sangrienta.
Bosteza de política banales
dicterios al gobierno reaccionario,
y augura que vendrán los liberales,
cual torna la cigüeña al campanario.
Un poco labrador, del cielo aguarda
y al cielo teme; alguna vez suspira,
pensando en su olivar, y al cielo mira
con ojo inquieto, si la lluvia tarda.
Lo demás, taciturno, hipocondríaco,
prisionero en la Arcadia[37] del presente,
le aburre; sólo el humo del tabaco
simula algunas sombras en su frente.
Este hombre no es de ayer ni es de mañana,
sino de nunca; de la cepa hispana
no es el fruto maduro ni podrido,
es una fruta vana
de aquella España que pasó y no ha sido,
esa que hoy tiene la cabeza cana.

---

[37] Lugar paradisíaco y feliz.

CXXXV

EL MAÑANA EFÍMERO

La España de charanga y pandereta,
cerrado y sacristía,
devota de Frascuelo[38] y de María,
de espíritu burlón y de alma quieta,
ha de tener su mármol y su día,
su infalible mañana y su poeta.
El vano ayer engendrará un mañana
vacío y ¡por ventura! pasajero.
Será un joven lechuzo[39] y tarambana[40],
un sayón[41] con hechuras de bolero[42],
a la moda de Francia realista[43],
un poco al uso de París pagano,
y al estilo de España especialista
en el vicio al alcance de la mano.
Esa España inferior que ora y bosteza,

---

[38] Sobrenombre del torero Salvador Sánchez Povedano (1842-1898). Destacó en las faenas de muleta y estoque.

[39] Noctámbulo.

[40] Persona alocada, de poco juicio.

[41] Cofrade que va en las procesiones de Semana Santa vestido con una túnica larga.

[42] Chaquetilla corta.

[43] Partidario del rey.

vieja y tahúr, zaragatera y triste;
esa España inferior que ora y embiste,
cuando se digna usar de la cabeza,
aún tendrá luengo parto de varones
amantes de sagradas tradiciones
y de sagradas formas y maneras;
florecerán las barbas apostólicas,
y otras calvas en otras calaveras
brillarán, venerables y católicas.
El vano ayer engendrará un mañana
vacío y ¡por ventura! pasajero,
la sombra de un lechuzo tarambana,
de un sayón con hechuras de bolero;
el vacuo ayer dará un mañana huero.
Como la náusea de un borracho ahíto
de vino malo, un rojo sol corona
de heces turbias las cumbres de granito;
hay un mañana estomagante escrito
en la tarde pragmática[44] y dulzona.
Mas otra España nace,
la España del cincel y de la maza,
con esa eterna juventud que se hace
del pasado macizo de la raza.
Una España implacable y redentora,
España que alborea
con un hacha en la mano vengadora;
España de la rabia y de la idea.

---

[44] Práctica. Aquí, en el sentido de vulgar, carente de aspira-
ciones y de ideales.

CXXXVI

I

Nunca perseguí la gloria
ni dejar en la memoria
de los hombres mi canción;
yo amo los mundos sutiles,
ingrávidos y gentiles
como pompas de jabón.
Me gusta verlos pintarse
de sol y grana, volar
bajo el cielo azul, temblar
súbitamente y quebrarse.

IV

Nuestras horas son minutos
cuando esperamos saber,
y siglos cuando sabemos
lo que se puede aprender.

XXI

Ayer soñé que veía
a Dios y que a Dios hablaba;
y soñé que Dios me oía...
Después soñé que soñaba.

XXIX

Caminante, son tus huellas
el camino, y nada más;
caminante, no hay camino,
se hace camino al andar.
Al andar se hace camino,
y al volver la vista atrás
se ve la senda que nunca
se ha de volver a pisar.
Caminante, no hay camino,
sino estelas en la mar.

XLIV

Todo pasa y todo queda,
pero lo nuestro es pasar,
pasar haciendo caminos,
caminos sobre la mar.

Anoche soñé que oía
a Dios, gritándome: ¡Alerta!
Luego era Dios quien dormía,
y yo gritaba: ¡Despierta!

LIII

Ya hay un español que quiere
vivir y a vivir empieza,
entre una España que muere
y otra España que bosteza.
Españolito que vienes
al mundo, te guarde Dios.
Una de las dos Españas
ha de helarte el corazón.

CXXXIX

A DON FRANCISCO GINER DE LOS RÍOS[45]

Como se fue el maestro,
la luz de esta mañana

---

[45] Francisco Giner de los Ríos (1839-1915), defensor del
krausismo y fundador de la Institución Libre de Enseñanza, in-
fluyó notablemente en la formación de Antonio Machado.

me dijo: Van tres días
que mi hermano Francisco no trabaja.
¿Murió?... Sólo sabemos
que se nos fue por una senda clara,
diciéndonos: Hacedme
un duelo de labores y esperanzas.
Sed buenos y no más, sed lo que he sido
entre vosotros: alma.
Vivid, la vida sigue,
los muertos mueren y las sombras pasan;
lleva quien deja y vive el que ha vivido.
¡Yunques, sonad; enmudeced, campanas!

Y hacia otra luz más pura
partió el hermano de la luz del alba,
del sol de los talleres,
el viejo alegre de la vida santa.
...¡Oh, sí!, llevad, amigos,
su cuerpo a la montaña,
a los azules montes
del ancho Guadarrama.
Allí hay barrancos hondos
de pinos verdes donde el viento canta.
Su corazón repose
bajo una encina casta,
en tierra de tomillos, donde juegan
mariposas doradas...
Allí el maestro un día
soñaba un nuevo florecer de España.

Baeza, 21 de febrero de 1915

CXLIV

... Fue un tiempo de mentira, de infamia. A Espa-
[ña toda,
la malherida España, de Carnaval vestida
nos la pusieron, pobre y escuálida y beoda,
para que no acertara la mano con la herida.

Fue ayer; éramos casi adolescentes: era
con tiempo malo, encinta de lúgubres presagios,
cuando montar quisimos en pelo una quimera,
mientras la mar dormía ahíta de naufragios.

Dejamos en el puerto la sórdida galera,
y en una nave de oro nos plugo navegar
hacia los altos mares, sin aguardar ribera,
lanzando velas y anclas y gobernalle al mar.

Ya entonces, por el fondo de nuestro sueño
[—herencia
de un siglo que vencido sin gloria se alejaba—
un alba entrar quería; con nuestra turbulencia
la luz de las divinas ideas batallaba.

Mas cada cual el rumbo siguió de su locura;
agilitó su brazo, acreditó su brío;
dejó como un espejo bruñida su armadura
y dijo: «El hoy es malo, pero el mañana... es mío».

Y es hoy aquel mañana de ayer... Y España toda,
con sucios oropeles de Carnaval vestida

aún la tenemos: pobre y escuálida y beoda;
mas hoy de un vino malo: la sangre de su herida.
    Tú, juventud más joven, si de más alta cumbre
la voluntad te llega, irás a tu aventura
despierta y transparente a la divina lumbre,
como el diamante clara, como el diamante pura.

1914

CL

MIS POETAS

    El primero es Gonzalo de Berceo llamado,
Gonzalo de Berceo, poeta y peregrino,
que yendo en romería acaeció en un prado,
y a quien los sabios pintan copiando un pergamino.
    Trovó a Santo Domingo, trovó a Santa María,
y a San Millán, y a San Lorenzo y Santa Oria,
y dijo: Mi dictado non es de juglaría;
escrito lo tenemos; es verdadera historia.
    Su verso es dulce y grave; monótonas hileras
de chopos invernales en donde nada brilla;
renglones como surcos en pardas sementeras,
y lejos, las montañas azules de Castilla.
    Él nos cuenta el repaire del romeo cansado;
leyendo en santorales y libros de oración,
copiando historias viejas, nos dice su dictado,
mientras le sale afuera la luz del corazón.

De *Nuevas canciones*

CLIV

APUNTES

I

Desde mi ventana,
¡campo de Baeza,
a la luna clara!
¡Montes de Cazorla,
Aznaitín y Mágina!
¡De luna y de piedra
también los cachorros
de Sierra Morena!

II

Sobre el olivar,
se vio a la lechuza

volar y volar.
   Campo, campo, campo.
Entre los olivos,
los cortijos blancos.
Y la encina negra,
a medio camino
de Úbeda a Baeza.

III

   Por un ventanal,
entró la lechuza
en la catedral.
   San Cristobalón[46]
la quiso espantar,
al ver que bebía
del velón de aceite
de Santa María.
   La Virgen habló:
Déjala que beba,
San Cristobalón.

   [46] En muchas iglesias existe un mural gigantesco que representa a San Cristóbal con el niño Jesús al hombro. Machado
emplea el aumentativo con el que el pueblo suele designar a este
santo.

Sobre el olivar,
se vio a la lechuza
volar y volar.
A Santa María
un ramito verde
volando traía.
¡Campo de Baeza,
soñaré contigo
cuando no te vea!

CLX

CANCIONES DEL ALTO DUERO

Canción de mozas

I

Molinero es mi amante,
tiene un molino
bajo los pinos verdes,
cerca del río.
Niñas, cantad:
«Por la orilla del Duero
yo quisiera pasar».

Por las tierras de Soria
va mi pastor.
¡Si yo fuera una encina
sobre un alcor!
Para la siesta,
si yo fuera una encina
sombra le diera.

III

Colmenero es mi amante,
y, en su abejar,
abejicas de oro
vienen y van.
De tu colmena,
colmenero del alma,
yo colmenera.

IV

En las sierras de Soria,
azul y nieve,
leñador es mi amante
de pinos verdes.

¡Quién fuera el águila
para ver a mi dueño
cortando ramas!

V

Hortelano es mi amante,
tiene su huerto,
en la tierra de Soria,
cerca del Duero.
¡Linda hortelana!
Llevaré saya verde,
monjil de grana.

VI

A la orilla del Duero,
lindas peonzas,
bailad, coloraditas
como amapolas.
¡Ay, garabí!...
Bailad, suene la flauta
y el tamboril.

CLXI

I

El ojo que ves no es
ojo porque tú lo veas;
es ojo porque se ve.

II

Para dialogar,
preguntad primero;
después... escuchad.

III

Todo narcisismo
es un vicio feo,
y ya viejo vicio.

VIII

Hoy es siempre todavía.

XV

Busca a tu complementario,
que marcha siempre contigo,
y suele ser tu contrario.

XXIV

Despacito y buena letra:
el hacer las cosas bien
importa más que el hacerlas.

XXIX

Despertad, cantores:
acaben los ecos,
empiecen las voces.

XXXII

Camorrista, boxeador,
zúrratelas con el viento.

XXXV

Ya maduró un nuevo cero,
que tendrá su devoción:
un ente de acción tan huero
como un ente de razón.

XXXVI

No es el yo fundamental
eso que busca el poeta,
sino el tú esencial.

LXVI

Poned atención:
un corazón solitario
no es un corazón.

LXXI

Da doble luz a tu verso,
para leído de frente
y al sesgo.

LXXII

Mas no te importe si rueda
y pasa de mano en mano:
del oro se hace moneda.

LXXXV

¿Tu verdad? No, la Verdad,
y ven conmigo a buscarla.
La tuya, guárdatela.

LXXXVIII

El pensamiento barroco
pinta virutas de fuego,
hincha y complica el decoro.

LXXXIX

Sin embargo...
             —Oh, sin embargo,
hay siempre un ascua de veras
en su incendio de teatro.

CLXIV

LOS SUEÑOS DIALOGADOS

II

¿Por qué, decísme, hacia los altos llanos
huye mi corazón de esta ribera,
y en tierra labradora y marinera
suspiro por los yermos castellanos?
    Nadie elige su amor. Llevóme un día
mi destino a los grises calvijares[47]
donde ahuyenta al caer la nieve fría
las sombras de los muertos encinares.
    De aquel trozo de España, alto y roquero,
hoy traigo a ti, Guadalquivir florido,
una mata del áspero romero.
    Mi corazón está donde ha nacido,
no a la vida, al amor, cerca del Duero...
¡El muro blanco y el ciprés erguido![48]

---

[47] Parajes sin árboles en el interior de un bosque.
[48] Nueva alusión al cementerio de Soria en el que está enterrada Leonor.

DE MI CARTERA

I

Ni mármol duro y eterno,
ni música ni pintura,
sino palabra en el tiempo.

II

Canto y cuento es la poesía.
Se canta una viva historia,
contando su melodía.

III

Crea el alma sus riberas;
montes de ceniza y plomo,
sotillos de primavera.

IV

Toda la imaginería
que no ha brotado del río,
barata bisutería.

V

Prefiere la rima pobre,
la asonancia indefinida.
Cuando nada cuenta el canto,
acaso huelga la rima.

VI

Verso libre, verso libre...
Líbrate, mejor, del verso
cuando te esclavice.

VII

La rima verbal y pobre,
y temporal, es la rica.
El adjetivo y el nombre,
remansos del agua limpia,
son accidentes del verbo
en la gramática lírica,
del Hoy que será Mañana,
del Ayer que es Todavía.

1924

CLXV

III

¿Empañé tu memoria? ¡Cuántas veces!
La vida baja como un ancho río,
y cuando lleva al mar alto navío
va con cieno verdoso y turbias heces.

Y más si hubo tormenta en sus orillas,
y él arrastra el botín de la tormenta,
si en su cielo la nube cenicienta
se incendió de centellas amarillas.

Pero aunque fluya hacia la mar ignota,
es la vida también agua de fuente
que de claro venero, gota a gota,

o ruidoso penacho de torrente,
bajo el azul, sobre la piedra brota.
Y allí suena tu nombre ¡eternamente!

De un Cancionero apócrifo

CLXXIII

CANCIONES A GUIOMAR[49]

I

No sabía
si era un limón amarillo
lo que tu mano tenía,
o el hilo de un claro día,
Guiomar, en dorado ovillo.
Tu boca me sonreía.

Yo pregunté: ¿Qué me ofreces?
¿Tiempo en fruto, que tu mano

---

[49] Pilar de Valderrama («Guiomar») (1892-1979) publicó diversos libros de poemas en los que reflejó sus melancolías, soledades, desgracias familiares e ideas conservadoras. A la prolongada relación sentimental que mantuvo con Antonio Machado se refirió en su libro *Sí, soy Guiomar. Memorias de mi vida,* publicado dos años después de su muerte.

eligió entre madureces
de tu huerta?
    ¿Tiempo vano
de una bella tarde yerta?
¿Dorada ausencia encantada?
¿Copia en el agua dormida?
¿De monte en monte encendida,
la alborada
verdadera?
¿Rompe en sus turbios espejos
amor la devanadera
de sus crepúsculos viejos?

II

    En un jardín te he soñado,
alto, Guiomar, sobre el río,
jardín de un tiempo cerrado
con verjas de hierro frío.
    Un ave insólita canta
en el almez[50], dulcemente,
junto al agua viva y santa,
toda sed y toda fuente.
    En ese jardín, Guiomar,
el mutuo jardín que inventan
dos corazones al par,

---

[50] Árbol de la familia de las ulmáceas, de unos doce a cator-
ce metros de altura.

se funden y complementan
nuestras horas. Los racimos
de un sueño —juntos estamos—
en limpia copa exprimimos,
y el doble cuento olvidamos.
　　(Uno: Mujer y varón,
aunque gacela y león,
llegan juntos a beber.
El otro: No puede ser
amor de tanta fortuna:
dos soledades en una,
ni aun de varón y mujer.)

*

Por ti la mar ensaya olas y espumas,
y el iris, sobre el monte, otros colores,
y el faisán de la aurora canto y plumas,
y el búho de Minerva ojos mayores.
Por ti, ¡oh Guiomar!...

III

　　　　Tu poeta
piensa en ti. La lejanía
es de limón y violeta,
verde el campo todavía.
Conmigo vienes, Guiomar;
nos sorbe la serranía.

De encinar en encinar
se va fatigando el día.
El tren devora y devora
día y riel. La retama
pasa en sombra; se desdora
el oro de Guadarrama.
Porque una diosa y su amante
huyen juntos, jadeante,
los sigue la luna llena.
El tren se esconde y resuena
dentro de un monte gigante.
Campos yermos, cielo alto.
Tras los montes de granito
y otros montes de basalto,
ya es la mar y el infinito.
Juntos vamos; libres somos.
Aunque el Dios, como en el cuento
fiero rey, cabalgue a lomos
del mejor corcel del viento,
aunque nos jure, violento,
su venganza,
aunque ensille el pensamiento,
libre amor, nadie lo alcanza.

*

Hoy te escribo en mi celda de viajero,
a la hora de una cita imaginaria.
Rompe el iris al aire el aguacero,
y al monte su tristeza planetaria.

Sol y campanas en la vieja torre.
¡Oh, tarde viva y quieta
que opuso al *panta rhei* su *nada corre*,
tarde niña que amaba tu poeta!
¡Y día adolescente
—ojos claros y músculos morenos—,
cuando pensaste a Amor, junto a la fuente,
besar tus labios y apresar tus senos!
Todo a esta luz de abril se transparenta;
todo en el hoy de ayer, el Todavía
que en sus maduras horas
el tiempo canta y cuenta,
se funde en una sola melodía,
que es un coro de tardes y de auroras.
A ti, Guiomar, esta nostalgia mía.

CLXXIV

OTRAS CANCIONES A GUIOMAR

II

Todo amor es fantasía;
él inventa el año, el día,
la hora y su melodía;
inventa el amante y, más,
la amada. No prueba nada,
contra el amor, que la amada
no haya existido jamás.

SONETO A GUIOMAR

De mar a mar entre los dos la guerra,
más honda que la mar. En mi parterre,
miro a la mar que el horizonte cierra.
Tú, asomada, Guiomar, a un finisterre[51],
    miras hacia otro mar, la mar de España
que Camoens cantara, tenebrosa.
Acaso a ti mi ausencia te acompaña,
a mí me duele tu recuerdo, diosa.
    La guerra dio al amor el tajo fuerte.
Y es la total angustia de la muerte,
con la sombra infecunda de la llama
    y la soñada miel de amor tardío,
y la flor imposible de la rama
que ha sentido del hacha el corte frío.

---

[51] Se refiere a las costas de Portugal, donde se refugió Guiomar cuando estalló la guerra.

[MADRID, MADRID! ¡QUÉ BIEN TU NOMBRE SUENA...]

¡Madrid, Madrid! ¡Qué bien tu nombre suena,
rompeolas de todas las Españas!
La tierra se desgarra, el cielo truena,
tú sonríes con plomo en las entrañas[52].

EL CRIMEN FUE EN GRANADA[53]

A Federico García Lorca

I
El crimen

Se le vio, caminando entre fusiles,
por una calle larga,
salir al campo frío,
aún con estrellas, de la madrugada.
Mataron a Federico
cuando la luz asomaba.
El pelotón de verdugos

---

[52] Este poema fue escrito por Machado el 7 de noviembre de 1936, poco antes de que partiera para Valencia.

[53] «El crimen fue en Granada» apareció en el periódico *Ayuda* el 17 de octubre de 1936, dos meses después del asesinato de Federico García Lorca.

no osó mirarle la cara.
Todos cerraron los ojos;
rezaron: ¡ni Dios te salva!
Muerto cayó Federico
—sangre en la frente y plomo en las entrañas—.
... Que fue en Granada el crimen
sabed —¡pobre Granada!—, en su Granada...

II
El poeta y la muerte

Se le vio caminar solo con Ella,
sin miedo a su guadaña.
—Ya el sol en torre y torre; los martillos
en yunque —yunque y yunque de las fraguas.
Hablaba Federico,
requebrando a la muerte. Ella escuchaba.
«Porque ayer en mi verso, compañera,
sonaba el golpe de tus secas palmas,
y diste el hielo a mi cantar, y el filo
a mi tragedia de tu hoz de plata,
te cantaré la carne que no tienes,
los ojos que te faltan,
tus cabellos que el viento sacudía,
los rojos labios donde te besaban...
Hoy como ayer, gitana, muerte mía,
qué bien contigo a solas,
por estos aires de Granada, ¡mi Granada!»

III

Se le vio caminar...

                    Labrad, amigos,
de piedra y sueño, en el Alhambra,
un túmulo al poeta,
sobre una fuente donde llore el agua,
y eternamente diga:
el crimen fue en Granada, ¡en su Granada!

LA MUERTE DEL NIÑO HERIDO

Otra vez en la noche... Es el martillo
de la fiebre en las sienes bien vendadas
del niño. —Madre, ¡el pájaro amarillo!
¡Las mariposas negras y moradas!
—Duerme, hijo mío. Y la manita oprime
la madre, junto al lecho. —¡Oh, flor de fuego!
¿Quién ha de helarte, flor de sangre, dime?
Hay en la pobre alcoba olor de espliego:
fuera, la oronda luna que blanquea
cúpula y torre a la ciudad sombría.
Invisible avión moscardonea.
—¿Duermes, oh dulce flor de sangre mía?
El cristal del balcón repiquetea.
—¡Oh, fría, fría, fría, fría, fría!

Índice

Introducción, por Arturo Ramoneda   5
Poética   9
De *Soledades. Galerías. Otros poemas*   11
De *Campos de Castilla*   31
De *Nuevas canciones*   71
De *un Cancionero apócrifo*   84
[Poesías de la Guerra]   89

Otras obras del autor en Alianza Editorial:

Poesía (LB 602)
Juan de Mairena (LB 855)

Últimos títulos de la colección:

41. JUAN BENET: *Sub rosa*
42. MARIO BENEDETTI: *La vecina orilla*
43. JEAN-PAUL SARTRE: *La infancia de un jefe*
44. UWE SCHULTZ: *La fiesta*
45. GUSTAVO ADOLFO BÉCQUER: *Maese Pérez el organista. La corza blanca*
46. HORACIO QUIROGA: *Anaconda*
47. PATRICIA HIGHSMITH: *Siete cuentos misóginos*
48. CARSON I. A. RITCHIE: *La búsqueda de las especias*
49. FRANCISCO CALVO SERRALLER: *El Greco*
50. ALFONSO E. PÉREZ SÁNCHEZ: *Ribera*
51. JULIÁN GÁLLEGO: *Velázquez*
52. ENRIQUE VALDIVIESO: *Murillo*
53. VALERIANO BOZAL: *Goya*
54. JUAN ANTONIO RAMÍREZ: *Picasso*
55. AGUSTÍN SÁNCHEZ VIDAL: *Dalí*
56. FRANCISCO CALVO SERRALLER: *Breve historia del Museo del Prado*
57. IGNACIO ALDECOA: *El corazón y otros frutos amargos*
58. EDUARDO GALEANO: *Mujeres*
59. DASHIELL HAMMETT: *Una mujer en la oscuridad*
60. JOSÉ DELEITO Y PIÑUELA: *El desenfreno erótico*
61. MARIANO JOSÉ DE LARRA: *Artículos*
62. ERNESTO SÁBATO: *El dragón y la princesa*
63. ANÓNIMO: *La dama de Escalot*
64. CÉSAR VIDAL MANZANARES: *Los manuscritos del mar Muerto*
65. ANTONIO MACHADO: *Antología poética*
66. AUGUSTO MONTERROSO: *El eclipse y otros cuentos*
67. FRANZ KAFKA: *En la colonia penitenciaria*
68. A. REY / F. SEVILLA: *Cervantes, vida y literatura*
69. JUAN PERUCHO: *Las sombras del mundo (Cuentos)*
70. RUBÉN DARÍO: *Verónica y otros cuentos fantásticos*
71. R. L. STEVENSON: *El diablo de la botella*
72. SIGMUND FREUD: *Los sueños*